Madame
Poipoi

Monsieur
Henri

Gino
Marto

Rémi
Lepoivre

Adrien
Dubouchon

Mélanie
Lano

Tom-Tom et Nana

À l'attaque !

Scénario : Jacqueline Cohen, Evelyne Reberg
Dessins : Bernadette Després - Couleurs : Catherine Viansson-Ponté

Marie-Lou
Dubouchon

Yvonne
Dubouchon

Nana
Dubouchon

Tom-Tom
Dubouchon

© Bayard Presse (J'aime Lire), 1985
© Bayard Éditions / J'aime Lire, 2002
ISBN : 978-2-7470-1406-9
Dépôt légal : janvier 2004
Droits de reproduction réservés pour tous pays
Toute reproduction, même partielle, interdite
Imprimé en France par Pollina - L66743E

Bonne pêche !

Ils voudront jamais... Suffit de les ensorceler ! Fais comme moi !

Papounet chéri de mon cœur !

?!?

Smack ! Smack !

Mamounette adorée...

?!?

Smack ! Smack !

Vous, vous avez quelque chose à nous réclamer !

Ben... euh... un peu d'argent de poche !

Et pour quoi faire ?

Acheter des bêtises encore !

Mais non ! Des trucs chouettes, des surprises pour vous faire rigoler ! C'est le 1er avril !

Alors là, pas question !

PLOUF !

Tant pis ! On va travailler ! Trier les ordures !

Ou bien laver les cailloux !

PFFF !

On nous donnera peut-être quelques sous !

Tenez ! Vous avez un boulot tout trouvé : ramasser les crottes !....

Quoi ?!?

HALTE AUX CROTTES DE CHIENS !

PITIÉ !

Ramassez les !!

Ha ! Ha ! Je vous paierai, promis !

TE AUX TTES HIENS !

11

13

14

Alerte à la piscine

17

21

23

La bête féroce

Mmm... Faudrait l'enfermer!...

Ouille!

PANG!

J'ai une super idée!... Arthur viens voir!

???

Tu veux jouer au tigre?

BLAM!

Un tigre! Un vrai qui rugit?!! Oui! Qui griffe et qui mord!

ROOOAAR!

Ça marche! On prépare la cage!

Ça, c'est la nourriture du tigre!

Et voilà sa litière!

28

On est fichus !

Ouf ! Il est vivant !

Ze seusse le tigre !

Viens ici ! T'as rien compris !!

BRAOUM! SPLATCH!

Il est peut-être dans son terrier ? Ze vais voir !

Non ! Non !

AAAAAAAAAAH!

Misère ! Il a plongé dans le trou !

Arthu...u...u...r ? Tu... es mo-mort ?

Mon Dieu ! Un accident !

29

Z'le dirai à ma maman !

Oh non, Arthur ! Ne fais pas ça !

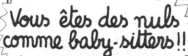

Vous êtes des nuls comme baby-sitters !!

Vous serez tapés ! Privés de télé !

Et maman reprendra les sous qu'elle vous a donnés !

Non, pitié !

Si on t'achète un joujou, tu diras rien ?

Euh.... peut-être...

Tiens, un joli canard en plastique !

Mmm.... NAN !

31

N'oublie pas ta promesse, hein !

Schlack !

Z'ai promis quoi dézà ?

Oh, non !

Bon, ze sais ! Si vous zouez avec moi, ze me tais !

Arthur ! Allez, ruzissez !!

Schlack !

Comme il est heureux avec vous !! C'est miraculeux !

Pour la plus belle !

Abracadabra....

Oooh !

Admire notre super gâteau de fête des mères !

On l'a fait tout seuls !

Vous avez trouvé les œufs ! Le sucre ! La farine !....

Tout ! Sans demander à personne !

Et tu as vu ? On a tout nettoyé !

C'est fou !

Allez ! On va attendre Mamounette à la porte !

Je n'en reviens pas !!

Quelle divine surprise !

... Tante Roberte !

C'est vous qui m'avez fabriqué ce gâteau ?

Ben... euh...

Tout ce travail ! Rien que pour leur tata !

Ces enfants m'adorent ! Je suis leur idole !!

Venez tous voir ! Ils ont fait ça exprès pour moi !

Oh, là, là, qu'est-ce qu'on peut faire ?

Tante Roberte! On t'en fera un autre!

Mais celui-là...

Les chéris! Ils vont m'en faire un autre! J'en aurai un tous les jours!

Yvonne! Regardez ce qu'ils m'ont offert!

Et vous, vous n'avez rien eu ?

Ben... non, rien !

Petits vilains! Vous avez oublié la fête des mères ?

Tant pis, moi je vais me régaler !

Bah ! Je ne vais pas chipoter !

Et puis...

Il est tombé dans la litière du chat !

Vous avez un chat ici ? C'est nouveau !

Oui ! Et il fait beaucoup pipi !

Ah ?

Et puis... les petits grains roses, là !...

...J'ai peur que ce soit de la mort aux rats !

QUOI ?!?

41

42

Tom-Tom et Nana : À l'attaque !

Le poison rouge

46

47

J'y arrive pas !

Oh, là, là ! Nana va être furieuse !

Son poisson !...

Ra... rassurez-vous, il est vivant... Je... je le sens nager !

Alors vomis ! Fais un effort !

PAF !
PAF !
BONG !

Hurck ! Hurck !

Tant pis ! On en achètera un autre !

Ouf !

Pour moi aussi ?

J'ai entendu du bruit, qu'est-ce qui se passe ?

Rien de grave ! Rien du tout...

C'est Adrien qui a avalé... Hi ! Hi !

Quoi ? Son dentier ?

Non !... Un poisson rouge !

Un poisson rouge !!! Mais c'est très grave !

Bah ! Il était tout petit, je crois... Comme un asticot !

Petit ? Ce sont les plus toxiques !

Je l'ai lu dans le journal, on peut en mourir !

Docteur !!! Mon mari a avalé un poison rouge !...

Euh... non ! Un poisson rouge !

Venez vite ! Il est tout bleu !...

...Pas le poisson ! Mon mari !!

L'ambulance arrive !

Tenez bon monsieur Dubouchon !

5 minutes après...

La-la-li-la-lère !

Tais-toi, idiote ! Y a une catastrophe...

Une goutte de trop !

56

Le chouchou de la classe

Qu'est-ce que c'est que cette blague idiote ?

Euh... que... que...

J'ai pas de temps à perdre, moi !

CLAC !

Il a raccroché ?

Ben oui... Je comprends pas !

Tu... tu veux essayer, Rémi ?

Pas question ! Moi, je téléphone à personne, sauf au père Noël !

À toi, Sophie !

Euh... moi, je préfère écrire !

Vite ! Crayon, papier, gommettes !...

70

Suivez le guide !

Touche pas mes pièces jaunes !

Vous avez osé toucher à la caisse ?

C'est interdit ! Quand on veut des sous, on demande !

Mais... c'est que... euh...

Le maître nous a donné des boîtes exprès...

...Pour mettre les pièces jaunes !

Elle est bien bonne ! Le maître veut qu'ils deviennent des gangsters !

Voyons ! C'est l'opération pièces jaunes !

En faveur des hôpitaux !

C'est ça !! Défendez-les !!

86

Moi, je dis, qui vole des pièces jaunes volera... euh... un trône... un pylône!...

Adrien, calme-toi, je t'en prie!... Retourne dans ta cuisine!

Parfait! Qu'ils me dévalisent à leur guise, les chéris!

CLAC!

Pfff...

La prochaine fois, demandez la permission!

Oui, maman!

Opération pièces jaunes!

Diling! Diling!

Donnez, donnez! Vous, vous sentirez plus légers!

Ils ont bon cœur!

Ça fait plaisir!

Dégagez, s'il vous plaît !

Minute ! On compte !... 7 × 5 × 10, plus...

Hé !

Rangez tout ça dans vos boîtes !

Attention, Gino !

Il en coule de sa poche !! Super !

PLAAAF !

gling !

90

Tom-Tom et Nana

T'es zinzin si t'en rates un !

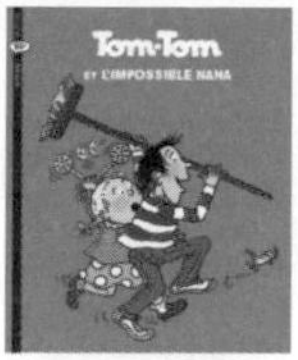

☐ N° 1

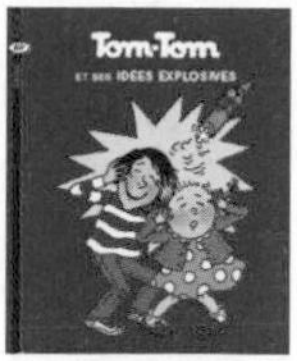

☐ N° 2

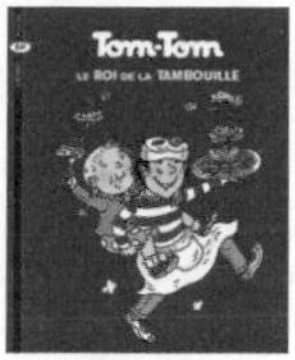

☐ N° 3

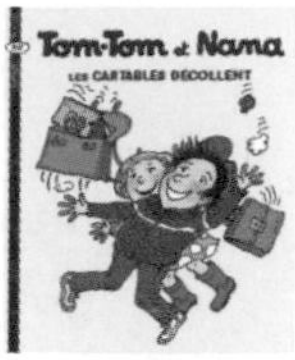

☐ N° 4

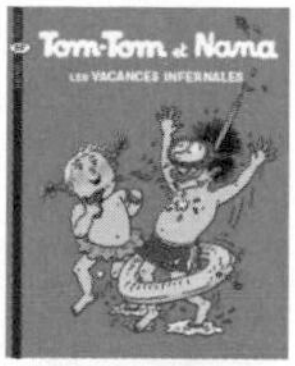

☐ N° 5

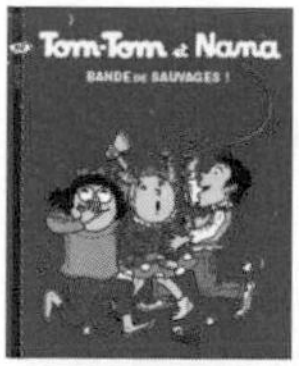

☐ N° 6

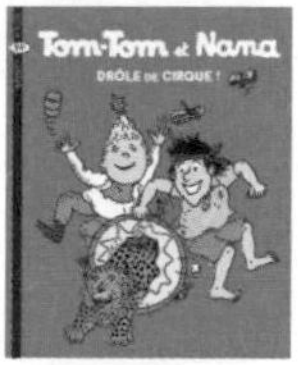

☐ N° 7

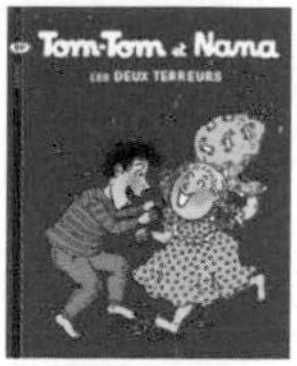

☐ N° 8

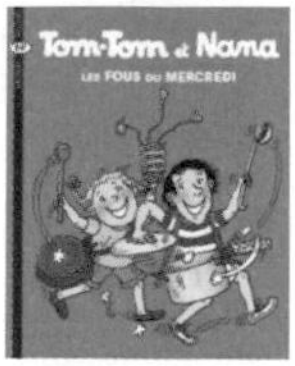

☐ N° 9

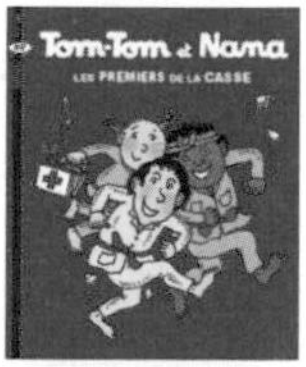

☐ N° 10

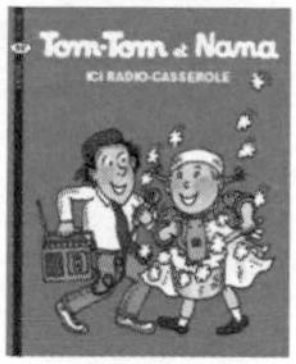

☐ N° 11

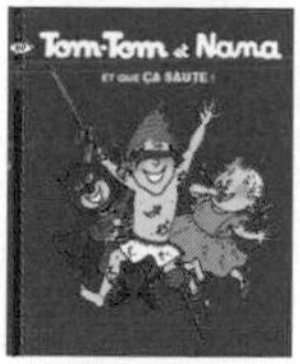

☐ N° 12

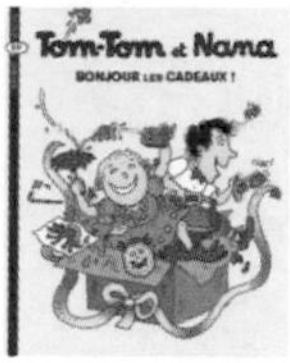

☐ N° 13

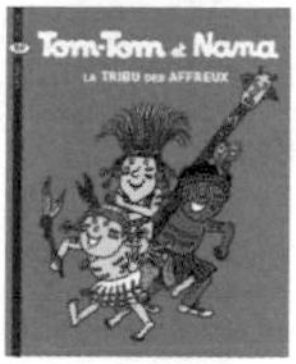

☐ N° 14

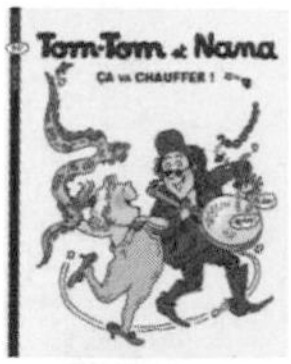

☐ N° 15

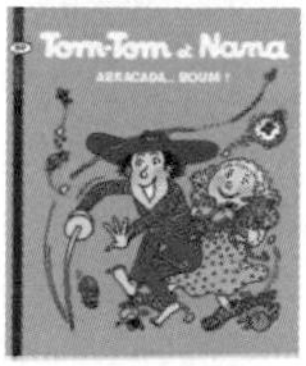

☐ N° 16

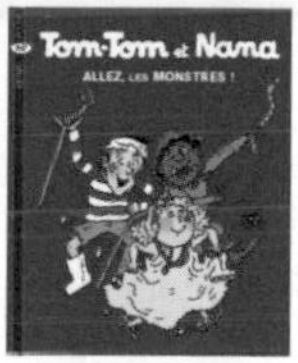

☐ N° 17

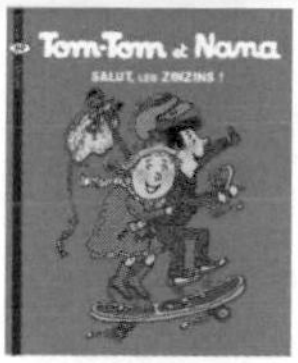

☐ N° 18

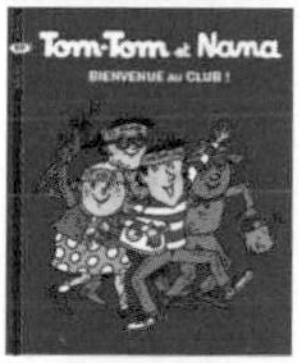

☐ N° 19

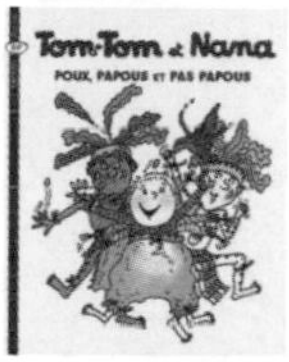

☐ N° 20

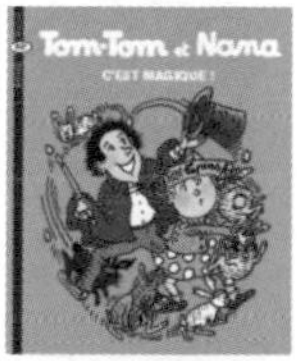

☐ N° 21

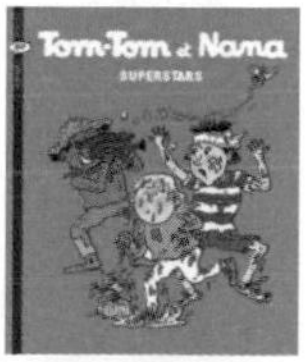

☐ N° 22

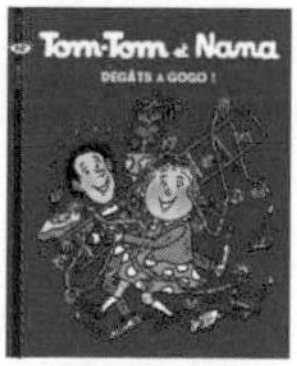

☐ N° 23

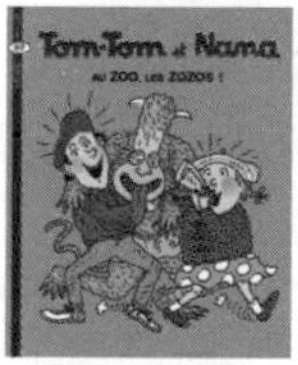

☐ N° 24

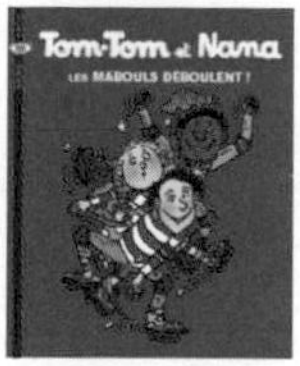

☐ N° 25

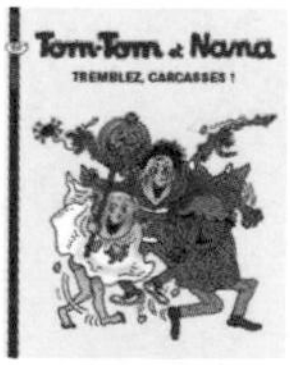

☐ N° 26

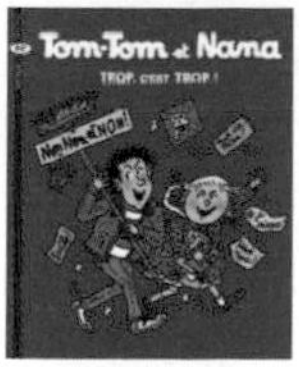

☐ N° 27

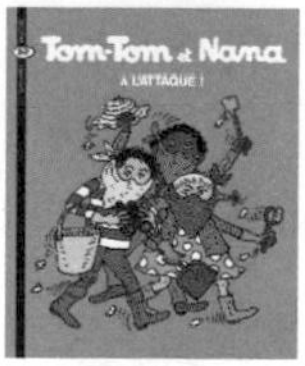

☐ N° 28

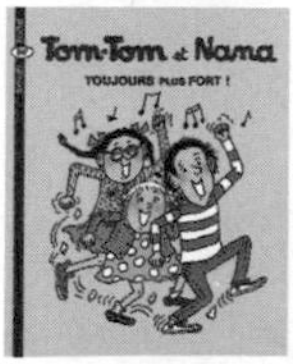

☐ N° 29

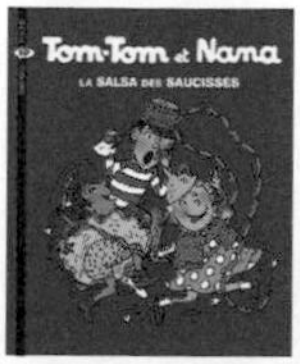

☐ N° 30

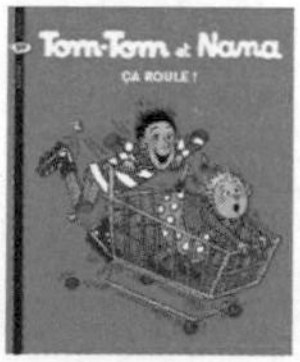

☐ N° 31

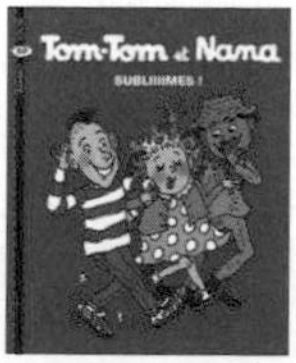

☐ N° 32

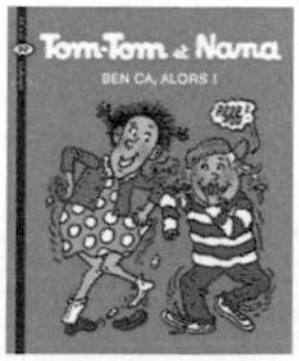

☐ N° 33

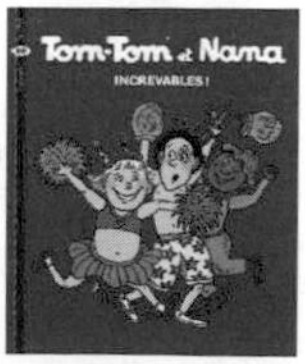

☐ N° 34

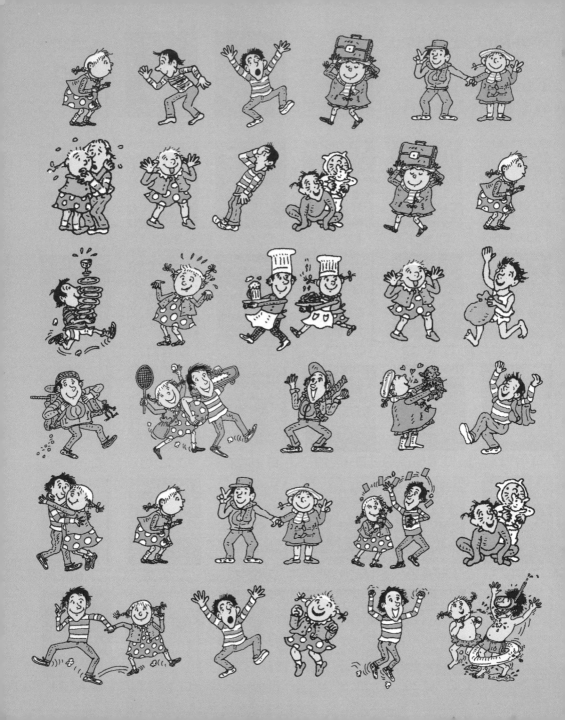